日本共産党第28回大会

第2回中央委員会総会決定

- 志位委員長の幹部会報告
- 志位委員長の結語

2020.12.15

28–2

日本共産党中央委員会出版局

日本共産党第2回中央委員会総会

目次

第2回中央委員会総会

志位委員長の幹部会報告

2020年12月15日

中央役員のみなさん、インターネット中継をご覧の全国のみなさん、おはようございます。新型コロナ危機のもとでの連日のご奮闘に、心からの敬意を申し上げます。

私は、幹部会を代表して、第2回中央委員会総会に対する報告を行います。

一、2中総の主題――来年4月末までに比例代表で党躍進の確かな土台を築く

これから4月末までの時期は、選挙勝利にとってきわめて重要な時期

冒頭、2中総の主題について報告します。

まず、衆議院の解散・総選挙の時期ですが、現時点では、来年4月以降になる可能性が濃厚になったと判断することができます。同時に、衆議院の任期満了――2021年10月21日まで、あと10カ月に迫っています。来年の政治日程を考慮するなら、解散・総選挙の時期がどうなるにせよ、これ

から4月末までの時期は、選挙勝利にとってきわめて重要な時期となることをまず強調したいと思います。

わき目もふらず比例での党躍進のための活動に力を集中する

今年（２０２０年）１月に開催した第28回党大会、10月に開催した幹部会では、来たるべき総選挙の目標として、次の二つの点を確認しました。

第一は、市民と野党の共闘を発展させ、次の総選挙で政権交代を実現し、野党連合政権を樹立するということであります。

第二は、「比例を軸に」をつらぬき、比例代表選挙で「８５０万票、15%以上」の得票を獲得し、全国11の比例ブロックのすべてで議席獲得、議席増を実現するとともに、小選挙区での議席大幅増を果たし、日本共産党の躍進を実現することであります。

幹部会が、第一の目標――次の総選挙での政権奪取を提起したことは、党内外で大きな衝撃と強い歓迎を持って受け止められています。この目標をやりとげるには、この方向が、野党の共通する決意となることが必要であり、現在はそのための最大限の努力をしているさなかであります。引き続き、中央段階でも、地方でも、政権交代と連合政権への機運を広げるために全力をあげます。

第二の目標――日本共産党の躍進は、どういう情勢が進展しようと、わが党独自の力で、何としてでも成し遂げなければならない目標であります。とりわけ政党間の力関係、その消長が最も鋭くあらわれる比例代表で、日本共産党が躍進をかちとることは、政権交代へのわが党の責任を果たすうえでも、日本の政治の前途を開くうえでも死活的に重要であります。

2中総の主題は、これから4月末までの期間に、第二の目標――とくに比例代表で「８５０万票、15%以上」の実現にむけた確かな土台を築くための活動に思い切って力を集中する、わき目もふらず比例での党躍進のための活動に力を集中する、そのための意思統一をはかることにあります。ここに焦点をしぼった会議としたいと思います。

二、新型コロナ対応――無為無策の菅政権と日本共産党の取り組みについて

〝菅政権による人災〟――政府の姿勢の抜本的転換を強く求めてたたかう

新型コロナ対応について報告します。

新型コロナ感染拡大の「第3波」の深刻な危機が起こっています。「医療崩壊」の危機が現実のものとなりつつあります。事業と雇用などの困窮も深刻です。ところが菅政権の対応は、無為無策と逆行というほかないものです。その問題点を列挙すれば――

感染拡大抑止のための積極的な検査戦略をもたず、「自治体まかせ」を続けています。

医療機関への減収補塡《ほてん》を拒否し、医療の疲弊・逼迫《ひっぱく》をつくり、崩壊の危機を招いています。

事業と雇用を守る直接支援を、一回限り、年内で打ち切ろうとしています。

そして、感染を広げる「Ｇｏ Ｔｏ」事業に無責任にしがみついています。

12月8日、政府が決定した「追

加経済対策」は、これらの問題点が集中的にあらわれたものとなりました。そこには、ＰＣＲ検査の抜本的拡大のための全額国費負担の施策がない、経営難に陥っている医療機関への減収補塡がない、持続化給付金や家賃支援給付金など事業者への直接支援を打ち切るなど、国民が痛切に求めている緊急の対策がすっぽり抜け落ちています。その一方で、「Ｇｏ Ｔｏ」事業を延長し、「ポストコロナ」に向けた基金創設や「国土強靱《きょうじん》化」の名による公共事業などに巨額の予算を積もうとしています。深刻な感染拡大と暮らしの危機に応える内容にはほど遠いものといわなければなりません。

感染拡大の現状は、〝菅政権による人災〟というべきものとなっています。現下の危機にさいして、日本共産党は、12月11日、政府に対し、「新型コロナ『第3波』から医療・暮らし・事業を守る緊急要請」を行いました。この立場で政府の姿勢の抜本的転換を強く求めてたたかおうではありませんか。

日本共産党の取り組み――科学的姿勢、苦難軽減に献身する立党の精神を貫く

日本共産党は、新型コロナ危機が始まった当初から、節々で、政府のコロナ対応の問題点を根本からただし、国民の命と暮らしを守る提言を発表し、国会内外でその実現のために奮闘してきました。

党として独自に専門家の英知に学び提言に生かす科学的姿勢を貫いてきました。無症状の感染者を含めた「検査・保護・追跡」の抜本的強化を一貫して求めてきました。

国民の苦難軽減のために献身するという立党の精神に立ち、全国の草の根からの取り組みを続けてきました。「自粛と一体に補償を」と訴え、「困ったことは共産党にご相談を」と呼びかけ、命と暮らしを守るために奮闘してきました。

このなかで政治を前に動かす一連の成果をつくってきています。ＰＣＲ検査の抜本的拡充を求めるわが党の主張を政府も否定できなくなるもとで、全国各地の自治体で医療機関や高齢者施設への「社会的検査」が広がり、住民の命を守るうえで力を発揮しています。国民の運動、野党の共闘によって、雇用調整助成金のコロナ特例を実現し、特別給付金、持続化給付金、家賃支援給付金、学生支援給付金など一連の直接支援の制度の実現をかちとりました。少人数学級の実現に向けた動きも重要であります。

こうした取り組みを通じて、日本共産党と民主諸団体に対する新たな信頼が広がっています。「声をあげれば政治は動く」ことを確信に、科学的姿勢、国民の苦難軽減に献身する立党の精神を貫き、コロナから国民の命と暮らしを守り抜くために、引き続きあらゆる知恵と力をつくそうではありませんか。

三、菅政権の特徴と、「新しい日本をつくる五つの提案」

菅政権――前政権を上回る危険性、政権担当の能力を欠く姿が露呈

菅政権が発足して3カ月が経過しました。臨時国会の論戦をへて、安倍前政権を上回る危険性が明らかになりました。同時に、政権担当の能力を欠く姿が露呈しました。

強権政治があらわに――違憲・違法の日本学術会議への人事介入

強権政治があらわになりました。日本学術会議への人事介入は、その最悪のあらわれであります。異論を強権で排斥《はいせき》することは安倍・菅政権の特徴ですが、その矛先がついに科学者にまで向けられたことは、きわめて重大であります。

理由を示さないままの任命拒否の危険ははかりしれません。それは学問の自由を侵害するだけでなく、日本社会全体に萎縮をもたらし、言論・思想・良心の自由を侵害するものとなっています。菅首相は、憲法15条1項を曲解して任命拒否を合理化していますが、これは首相独裁国家――全体主義国家への転落の危険をはらむ暴論であります。

いま、かつてない広範な人々から抗議の声が広がっています。この問題は、一部の科学者の問題でなく、すべての国民にとっての重大問題であることを、私は強く訴えたいと思います。日本共産党は、党の存在意義にかけて、違憲・違法の任命拒否の撤回までたたかいぬく決意を表明するものであります。

冷酷さ――新自由主義の暴走が具体的な姿をあらわしつつある

冷酷さという点でも、危険性が明瞭になりました。菅首相は、「自助・共助・公助」が理念だと語り、「まずは自分でやってみる」と「自己責任」の押し付けを唱えてきましたが、新自由主義の暴走が具体的な姿をあらわしつつあります。

コロナ危機のもとで75歳以上の医療費窓口2割負担を導入するという血も涙もない政治を進めようとしています。極端な新自由主義者を政権ブレーンにすえたことも重大であります。菅首相が政府の成長戦略会議のメンバーにすえた竹中平蔵氏は、〝月7万円を支給する代わりに、年金も、生活保護制度もなくせ〟と公言する人物です。デービッド・アトキンソン氏は、〝日本は2060年までに中小企業の数を現在の半分以下に減らせ〟という中小企業淘汰《とうた》論で有名な人物です。コロナで苦難と困窮のもとにある高齢者、所得の少ない人、中小企業を平然と切り捨てる冷酷な政策を進めようというのが、「国民のために働く」内閣の正体なのであります。

菅政権のコロナ対応の無為無策と逆行の根本にも、〝国民は自分

で感染から身を守れ、営業と雇用も自力でやれ〟との冷酷な「自己責任」押し付けの立場があることを、厳しく指摘しなければなりません。

説明拒否――デマとフェイクで批判者を攻撃する

説明拒否とデマ・フェイクの政権の姿があらわれました。国民に対する説明を行う意思も能力もない、自分の言葉で国民に語ることができないという点でも、菅首相は前首相を上回るものがあります。

日本学術会議の問題でも、「桜を見る会」の問題でも、ウソと答弁拒否を繰り返す。官僚が差し出すペーパーを一枚一枚読み上げるだけという答弁は、一国の首相として、あまりにも情けなく、資格を欠くものといわなければならないのではないでしょうか。

古事記・日本書紀・万葉集などを研究する「上代文学会」は任命拒否への抗議声明のなかで、菅首相の無内容な答弁を批判し、「この国の指導者たちの日本語破壊が目に余ります。……頼むから日本語をこれ以上痛めつけないでいただきたい」と訴えました。日本語には豊かなコミュニケーションを行う力が備わっているのに、無内容で空疎な言説で日本語を破壊しているのが菅首相であります。

それにとどまらず、この政権はデマとフェイクで批判者を攻撃することまで始めました。それは日本学術会議に対する「既得権益」というデマ攻撃にあらわれました。首相が率先してデマ攻撃を行うもと、政権与党とその応援団から学術会議に対して事実無根のフェイク攻撃が行われていることは、民主主義を土台から壊すものであり、絶対に看過することはできません。

問答無用の体質――「沖縄の歴史は分からない」と言い放つ

さらに問答無用の体質です。それは沖縄に対する姿勢に象徴されています。

２０１５年、菅氏は、官房長官時代に、当時の翁長《おなが》知事との会談で、沖縄の苦難の歴史を語って新基地建設中止を訴えた翁長知事に対し、「沖縄の歴史は分からない」と言い放ちました。これは沖縄県民の心に深い怒りとなって刻まれている発言であります。こんなセリフは、政府の責任あるものは決して言ってはならないセリフではないでしょうか。そして、少し前の自民党の政治リーダーならば、こんな恥知らずなことは、口が裂けても言わなかったものです。

安倍・菅政権のもと、自民党はかつての自民党とは違う政党になってしまっています。保守政党というよりウルトラ右翼政党に堕落してしまっているのでありま す。ここに沖縄でも、全国でも、保守の方々を含むこれまでにない幅広い共闘が発展する大きな根拠があるということを、私は、強調したいと思います。

最悪の補完勢力・維新の会の破綻――大阪市の「住民投票」の歴史的勝利

この間、最悪の補完勢力・維新の会の一つの破綻が起こりました。

11月1日、大阪市民が「住民投票」で再び「大阪市廃止」にきっぱり「反対」をつきつける歴史的勝利をかちとったことを、ともに心から喜びたいと思います。

維新が国会でやっていることは、「自公の補完勢力」にとどまらず、「悪い政治の突撃隊」という邪悪なものです。大阪市民が下した審判は、共闘の力で日本の政治を変えるうえでも、巨大な意義をもつものであります。

維新は「住民投票」敗北後も、大阪市から権限と財源を奪い取る条例を2月議会に出すと言い出すなど、大阪市破壊の企てになおしがみついています。他方、コロナ対応で、感染抑止のための検査に背を向けるなど無為無策を続け、全国でも最も深刻な被害拡大が進むもとで、医療関係者をはじめ府民から強い批判の声があがっています。

全国のみなさん。大阪の党組織に固く連帯し、大阪における維新政治の転換、国政における維新の会の策動を許さない新たなたたかいに、全力をあげようではありませんか。

以上が、菅政権とその応援団の姿であります。

総選挙で菅自公政権を倒し、新しい政権――野党連合政権をつくろう

わが党は、7年8カ月の安倍政権と正面からたたかい、「戦後最悪の政権」と批判してきましたが、菅政権は、前政権を上回る危険で有害な姿をあらわにしています。どのような強権とゴマカシを弄《ろう》しても、この政権と国民との矛盾は広がらざるをえないでしょう。

みなさん、選挙で決着をつけようではありませんか。市民と野党の共闘の力で、次の総選挙で、菅自公政権を倒し、政権交代をかちとり、新しい政権――野党連合政権をつくろうではありませんか。

「新しい日本をつくる五つの提案」を訴えてたたかう

菅自公政権を倒して、どういう新しい日本をつくるか。

日本共産党は、総選挙にむけて、「新しい日本をつくる五つの提案」を訴えてたたかいます。この提案の方向が、野党共通の政治的主張となり、自公政権に代わる新しい政権――野党連合政権が実行する政治的内容となるように、最大限の力をつくします。

提案1　新自由主義から転換し、格差をただし、暮らし・家計応援第一の政治をつくる

第一の提案は、新自由主義から転換し、格差をただし、暮らし・家計応援第一の政治をつくることです。

新型コロナ危機をつうじて、新自由主義の破綻が、世界でも日本でも明瞭になりました。この路線を根本から転換することは急務となっています。

●ケアに手厚い社会をつくります。政府の責任で、医療・介護・障害福祉・保育など、ケア労働に携わる人々の待遇の抜本改善をはかります。公立・公的病院の統廃合、75歳以上の医療費値上げなど窓口負担増、年金削減など、社会保障削減政策を中止し、拡充への抜本的な転換をはかります。

●人間らしい雇用のルールをつくります。コロナ危機で最も深刻な打撃を受けているのは、非正規雇用労働者、フリーランスの人々、とりわけ女性と若者です。労働法制の規制緩和路線を抜本的に転換し、最低賃金を時給1500円に引き上げ、8時間働けばふつうに暮らせる社会をつくります。

●疲弊した地方経済の立て直しの柱に中小企業と農林水産業の振興を位置づけます。コロナに乗じて中小企業を「淘汰」する暴政をやめさせ、中小企業を日本経済の根幹に位置づけ振興をはかります。農林水産業を基幹的な生産部門と位置づけ、歯止めない自由化路線を見直し、所得・価格保障によって自給率を50％を目標に引き上げます。

●コロナのもと、多くの学生の陥っている深刻な困窮は、政治の恥ずべき責任です。大学等の学費を半減し、本格的な給付奨学金を創設します。

●消費税を緊急に5％に減税し、経営の苦しい中小企業に対して19年度・20年度分の納税を免除

します。コロナ禍のもと空前の資産を増やしている富裕層、大企業に応分の負担を求める税制改革を行います。

●被災した住宅への支援金を５００万円に引き上げるなど、被災者の生活再建を復興の柱にすえるとともに、災害に強いまちづくりを進めます。

提案２　憲法を守り、立憲主義・民主主義・平和主義を回復する

第二の提案は、憲法を守り、立憲主義・民主主義・平和主義を回復することです。

安倍・菅政権によって破壊された立憲主義を再建し、負の遺産を一掃することは、新しい政治がまっさきに取り組むべき課題です。

●安保法制、秘密保護法、共謀罪など、安倍・菅政権による憲法違反の立法を廃止します。集団的自衛権行使容認の閣議決定を撤回します。

●「森友問題」「加計問題」「桜を見る会」の問題など、一連の国政私物化疑惑を徹底的に究明します。内閣人事局を廃止し、日本学術会議の任命拒否を撤回し、「忖《そん》度《たく》」を生み出す強権政治の根を断ち、透明性ある公正な政治を築きます。

●自民党が進める憲法９条改定に反対し、国民投票法改定案（自民・公明・維新案）を廃案に追い込み、改憲発議を許しません。

提案３　覇権主義への従属・屈従外交から抜け出し、自主・自立の平和外交に転換する

第三の提案は、覇権主義への従属・屈従外交から抜け出し、自主・自立の平和外交に転換することです。

●沖縄県民の民意に背く辺野古新基地建設を中止し、普天間基地の無条件返還を求めます。日米地位協定の抜本的改正に取り組みます。

●米軍への「思いやり予算」を廃止し、米国製の高額武器の「爆買い」、「イージス・アショア」代替案、「敵基地攻撃」能力保有のための武器購入など、大軍拡の危険と浪費にメスを入れます。

●核兵器禁止条約に署名・批准し、唯一の戦争被爆国の政府として「核兵器のない世界」の実現に向け先駆的役割を果たします。

●中国による覇権主義・人権侵害にきっぱり反対し、国連憲章と国際法を順守させる立場で毅《き》然《ぜん》とした外交的対応を行います。

提案４　地球規模の環境破壊を止め、自然と共生する経済社会をつくる

第四の提案は、地球規模の環境破壊を止め、自然と共生する経済社会をつくることです。

気候変動問題でも、感染症のパンデミック（世界的流行）の問題でも、地球規模での環境破壊を止めることは、人類の生存にとって急務となっています。

●２０５０年までに温室効果ガス排出を実質ゼロにします。大型石炭火力の建設計画を中止し、既存施設の計画的停止・廃止を実施します。２０３０年度までに電力の４割以上を再生可能エネルギーでまかない、温室効果ガスの排出を１９９０年比で40～50％削減する計画を策定・実施します。コロナ危機からの経済社会の回復は、グリーン・リカバリー（環境に配慮した回復）の立場で取り組みます。

●原発の再稼働を中止し、「原発ゼロの日本」を実現します。破綻した核燃料サイクルから撤退します。

●次のパンデミックを防ぐうえで、健全な環境、人間の健康、動物の健康を、一つの健康と考える「ワンヘルス」アプローチが国際的な急務となっています。感染症を拡散する恐れのある野生生物の取引と消費の抑制、森林破壊の防止と土地利用の転換の抑制、自然との調和を欠いた農業や畜産から

持続可能な食料生産への転換などを推進します。

提案５　ジェンダー平等社会の実現、多様性を大切にし、個人の尊厳を尊重する政治を

第五の提案は、ジェンダー平等社会を実現し、多様性を大切にし、個人の尊厳を尊重する政治を築くことです。

●新型コロナ危機のもと、「ジェンダー平等後進国・日本」の矛盾が噴き出しています。多くの女性が職を失い、家事・育児負担の増大、ＤＶなどさまざまな困難に直面し、女性の自殺が増えていることは、きわめて重大です。あらゆる問題に対してジェンダーの視点を貫くとともに、ジェンダー平等社会をめざして以下の課題に取り組みます。

・雇用におけるジェンダー差別をなくします。

・民法を改正し、選択的夫婦別姓制度を実現し、同性婚を認めます。戦前の「家父長制」を引き継いだ「世帯主」の制度を廃止します。

・性暴力根絶をめざし、強制性交等罪の「暴行・脅迫要件」を撤廃し、同意要件を新設するなどの法改正を行います。リプロダクティブ・ヘルス&ライツ（性と生殖に関する健康・権利）を保障する施策を進めます。

・「２０３０年までに男女半々」をめざし、政治分野など政策・意思決定の場におけるジェンダー平等を推進します。

●外国人労働者への差別をなくし、労働者としての権利を保障します。難民認定制度、入国管理法の抜本改正を行い、人権を蹂躙《じゅうりん》する非人道的な収容をやめます。

●少人数学級の速やかな実現をはかります。子どもたち一人ひとりの多様性を大切にし、一人ひとりを尊重する教育を保障するために、少人数学級は重要な一歩となります。それは過度な競争と管理という教育のあり方を見直すことにもつながる意義をもつものです。

●国費を数千億円単位で投入して「文化・芸術復興基金」を緊急に設立するとともに、国の文化予算の大幅増額をはかり、文化・芸術を人間が生きていくうえで必要不可欠な糧として守り育てる国をつくります。

野党が共通政策を示し、政権協力で合意すれば、情勢の激変をつくることができる

以上が、「新しい日本をつくる五つの提案」であります。

そのどの項目も、国民多数の声にそったものであり、政治の意思さえあればただちに実行可能なものであります。総選挙にむけて、この内容を広く訴え、新しい日本への国民的合意をつくっていこうではありませんか。

「新しい日本をつくる五つの提案」は、わが党としての提案ですが、その多くの内容は、市民連合との合意や法案の共同提出などの形で、すでに野党間で一致があるものです。野党が、総選挙にむけた共通政策をつくる協議に取り組み、菅自公政権に代わる新しい日本の姿を国民に指し示し、それを実現するために新しい政権を協力してつくることに合意するならば、政治を変える希望を多くの国民のなかで広げ、情勢の大きな前向きの激変をつくることができることは、間違いないのではないでしょうか。日本共産党はそのために知恵と力をつくす決意を表明したいと思います。

大いに訴えていこうではありませんか。

社会保障削減も、労働法制の規制緩和も、消費税増税も、その根源は、財界要求にあります。新自由主義からの転換を実現し、暮らし・家計応援第一の政治をつくるうえでも、財界中心の異常なゆがみをただし、「ルールある経済社会」を築くことを綱領の経済的民主主義の要にすえている日本共産党の躍進が大きな力となります。

総選挙にむけて、日本共産党の躍進が、「新しい日本をつくる五つの提案」を実現するうえでも、日本の政治の根本的転換にとっても最大の力となることを、広げに広げぬこうではありませんか。

日本の政治の二つのゆがみを根本からただす日本共産党の躍進を

「新しい日本をつくる五つの提案」を本気で実行しようとすれば、異常な「アメリカいいなり」「財界中心」という自民党政治の二つのゆがみにぶつからざるをえません。

安保法制廃止、辺野古新基地建設の中止、日米地位協定の抜本的改正、核兵器禁止条約への参加などに取り組もうとすれば、「日米同盟絶対」の勢力からの抵抗や妨害は避けられません。その時に、共闘の一致点での団結を大切にしつつ、抵抗や妨害をはねのけていくためには、異常な従属政治の根本に日米安保条約＝日米軍事同盟があること、日米安保条約をなくして日米友好条約を締結することこそ、対等・平等・友好の新しい日米関係を築く未来ある道であることを、広く国民に訴えていくことが大切になります。こうした日米関係の大改革を綱領の民主的改革の中心にすえている日本共産党が躍進してこそ、直面する課題を前に進めることができることを、

四、改定綱領――1年間で発揮された生命力に確信をもって

次に改定綱領にかかわって報告します。

わが党は、第28回党大会で全党の英知を集めて党綱領一部改定を行いました。改定綱領の生命力が、1年間の世界と日本の激動のなかで、鮮やかに発揮されました。改定綱領は、党に新鮮な活力と科学的確信を広げています。

核兵器禁止条約の発効――世界の構造変化の力が発揮された

核兵器禁止条約の発効を心から歓迎する

この間、２０１７年の国連会議で採択された核兵器禁止条約の批准国が50を超え、来年1月22日に発効するという画期的情勢の進展が起こりました。広島・長崎の被

爆者をはじめ、「核兵器のない世界」を求める世界の圧倒的多数の政府と市民社会が共同した、壮大な取り組みの歴史的な成果であります。

日本共産党は、核兵器廃絶を戦後一貫して訴え、その実現のために行動してきた党として、この歴史的条約の発効を、心から歓迎するものであります。

小さな国、途上国が、米国など核保有大国の圧力・干渉をはねのけて批准を進めた

改定綱領は、20世紀に起こった世界の構造変化――植民地体制の崩壊と100を超える主権国家の誕生によって、21世紀の今日、一握りの大国から、世界のすべての国ぐにと市民社会に国際政治の主役が交代したことを明らかにし、そのあらわれの第一に核兵器禁止条約の成立をあげました。禁止条約の発効をめぐる国際政治の動きのなかにも、世界の構造変化の力がさまざまな形であらわれました。

核兵器禁止条約の発効は、核保有5カ国、とくに米国による敵対・妨害をはねのけてのものでした。米国は10月、「核兵器禁止条約に関する米国の懸念」と題する書簡を各国政府に送り、条約への不支持、不参加を求めました。露骨な圧力・干渉が行われましたが、それは同時に、いら立ち、恐れ、追い詰められている米国の姿を示すものともなりました。禁止条約が発効すれば核兵器は違法化され、核兵器を持つ国は無法な国になるわけです。そのことに対する恐れが示されました。小さな国、途上国を含む多くの国ぐにが、こうした圧力・干渉をはねのけて、堂々と批准を進めていったことは、21世紀の新しい世界の希望ある姿を明らかにするものとなりました。

この3年間の世界の力関係の前向きの変化は、核兵器禁止条約への支持の広がりにもあらわれています。12月7日、国連総会は、核兵器禁止条約の採択を歓迎し、すべての加盟国への早期の署名、批准、承認、承諾を要請する決議を、130カ国の賛成で採択しました。2017年の国連会議で核兵器禁止条約に賛成した国は122カ国でしたが、さらに支持の広がりがみられることは、きわめて重要であります。

米国の核兵器が配備されているベルギー、ドイツ、オランダ、イタリアでも、世論調査で6～7割が核兵器禁止条約署名に賛成するという変化が生まれています。今年9月、NATO加盟国と日韓の計22カ国56人の元首脳、国防相・外相経験者が共同書簡を発表し、核兵器が安全保障を強化するという考えは危険で誤りだと強調し、核兵器禁止条約は「希望の光」だとして参加を各国に呼びかけたことも注目されます。

唯一の戦争被爆国・日本でこそ、核兵器禁止条約に署名・批准する新しい政権を

こうしたもと、新しい世界の本流を見ることができず、これに背を向ける日本政府の惨めな姿がきわだっています。日本政府は、核兵器保有国と非保有国の「橋渡し」をすると繰り返していますが、実際の行動は、核保有国の代弁者であり、お先棒担ぎという、恥ずかしい卑劣な役回りを演じています。

唯一の戦争被爆国・日本でこそ、核兵器禁止条約に署名・批准する新しい政権をつくろうではありませんか。この人類的課題の実現の先頭に立ってきた日本共産党を躍進させようではありませんか。それは世界に衝撃をあたえる平和への巨大な貢献となることは疑いありません。

パンデミックと世界資本主義の矛盾――社会主義の展望を大いに語ろう

資本主義をこのまま続けていいのかという重大な問いが人類に突きつけられている

改定綱領は、世界の資本主義の矛盾として、「貧富の格差の世界的規模での空前の拡大」「地球的規模でさまざまな災厄をもたらしつつある気候変動」の二つを、「資本主義体制が21世紀に生き残る資格を問う問題」として綱領に特記しました。こうした世界資本主義への大局的見方は、新型コロナ・パンデミックをとらえるうえでも力を発揮しました。

パンデミックのもと、改定綱領が特記した格差拡大と環境破壊という世界資本主義の二つの矛盾が顕在化し、激化しています。

党創立98周年記念講演でものべたように、この数十年に起こっている感染症のパンデミックの多発という事態は、資本主義の利潤第一主義のもとでの「物質代謝の撹《かく》乱《らん》」――自然環境の破壊がもたらしたという点で、地球的規模での気候変動と根が一つであります。パンデミックは、資本主義というシステムをこのまま続けていいのかという重大な問いを人類に突きつけるものとなっているのであります。

「資本主義の限界」を指摘し、「資本主義の見直し」を求める声が広がる

こうしたもと、「資本主義の限界」を指摘し、「資本主義の見直し」を求める声が、さまざまな形で広がっています。

ローマ教皇は10月に発表した「回勅《かいちょく》」のなかで、「パンデミックによってあらわになった世界システムの脆弱《ぜいじゃく》性は、市場の自由によってすべてが解決できるわけではないことを示している」とのべ、「人間の尊厳を中心に据え直し、その柱の上にわれわれが必要とする代替の社会構造を構築しなければならない」と訴えました。

９月、アメリカのＣＮＮは「資本主義はもはや機能していない。パンデミックはいかに資本主義を変えるか」と題する報道を行い、「資本主義は危機にひんしている。パンデミックは資本主義を、労働者と最も困窮している人々に恩恵をもたらすように、変える可能性がある」と報じました。

パンデミックにかかわる現代の資本主義に対する批判はさまざまであり、どう対処するかの方途もさまざまであります。しかし、カトリックの総本山からも、世界的な巨大メディアからも、「今のままの資本主義では立ち行かない」という声が起こっていることは、改定綱領がのべているように、「資本主義体制が21世紀に生き残る資格を問う」ものとして、注目すべきことではないでしょうか。

社会主義の原点は、資本主義批判にある――社会主義の展望を大いに語ろう

こうしたなか、世界最大の資本主義国アメリカで、とくに若い世代で、「社会主義」に希望を託す状況が広がっていることは重要であります。

米大統領選挙で、民主党のサンダース氏を中心とするグループは、高学費、公的医療保険の欠如、格差拡大、気候変動などを、資本主義の矛盾ととらえ、それらの解決を「社会主義」のなかに求める訴えを行いました。この流れは、大統領選挙とその結果にも大きな影響をあたえました。トランプ陣営は、一連の変革の課題を民主党の公約に位置づけたバイデン陣営を「社会主義」「共産主義」

と攻撃しましたが、そうした攻撃は通用せず、逆に、若者のなかに「社会主義」への支持を広げる結果となりました。

こうしたアメリカの動きは、私たちの日本でのたたかいにも重要な示唆を与えていると考えます。

もともと社会主義の原点は、資本主義批判にあります。

日本でも、労働苦、格差拡大、高学費、環境問題など、息苦しく希望が見えない社会の根源には、人間が人間を搾取するシステム、「利潤第一主義」を本性とする資本主義の矛盾があります。まずは資本主義の枠内でその解決のための最大の取り組みを行いながら、根本的解決の道は社会主義にあること——社会主義の展望、社会主義の希望を、大いに語っていこうではありませんか。

中国に対する綱領上の規定の見直し——その意義と今後の対応について

中国に対する綱領上の規定の見直しは、綱領一部改定の中心点の一つでした。この改定が、党綱領全体に「新たな視野」を開いたということは、党大会での結語、「改定綱領学習講座」で解明したことであります。

綱領一部改定の重要性は、中国自身のこの1年間の行動によって証明された

綱領一部改定がいかに重要だったかは、中国自身のこの1年間の行動によって、証明されることになりました。

この1年間を見ても、中国による、東シナ海、南シナ海での覇権主義的行動がエスカレートしています。この海域での力による現状変更の動きが激化しています。大規模な軍事演習が繰り返し行われていることも、重大であります。

今年に入って、香港に対する「国家安全維持法」の強行、民主化を求める勢力への弾圧強化など、人権侵害が一段とエスカレートしました。この問題は、中国がいうような内政問題では決してありません。「一国二制度」という国際約束に反し、中国が賛成・支持してきた一連の国際条約・国際的取り決めにも反する、重大な国際問題であります。ウイグル自治区での少数民族への抑圧、強制収容などの人権侵害も、国連をはじめ国際社会で「国際法の義務への違反」として批判が強まっています。

日本共産党は、中国指導部による覇権主義、人権侵害のあらわれの一つひとつに対して、事実と道理に立ち、きっぱりとした批判を行ってきました。中国によるこれらの行動が、「社会主義」と全く無縁のものであり、「共産党」の名に値しないものであることを、この場でも重ねて表明しておきたいと思います。

改定綱領が、わが党が毅然とした態度を貫く理論的土台となり、中国問題を利用した反共攻撃を打ち破るうえでも決定的な力を発揮してきたことは、全党のみなさんが強く実感されていることではないでしょうか。

「国連憲章と国際法を順守せよ」と中国に迫っていく外交的包囲こそ重要

それでは、中国による覇権主義、人権侵害を、どうやって抑えていくか。これは今日の国際社会にとっての大きな問題であります。

軍事的対応の強化でこたえるという動きは、〝軍事対軍事〟の危険な悪循環をつくりだすものであり、わが党は、これには厳しく反対します。

「国連憲章と国際法を順守せよ」と中国に迫っていく国際世論による外交的包囲こそが重要だということを、私は、強く訴えたいと思います。

　この点での国際社会での批判の強まりは注目すべきであります。中国のコロナ対応の初動の遅れは、人権の欠如という体制の問題点とも深く結びついたものでしたが、中国はその失敗を隠蔽《いんぺい》・糊塗《こと》し、自国体制の「優位性」を宣伝し、対外支援に対する「感謝」の強要を行いました。さらに、中国のコロナ対応に対して調査を求めたり、批判をしたりする国を敵視し、威嚇、制裁を行ってきました。こうした「どう喝的外交」は、世界の前に覇権主義の姿をあらわにし、中国に対する批判を強める結果となりました。

　国連総会第3委員会で、ドイツなど39カ国は、10月、「新疆《しんきょう》ウイグル自治区の人権状況と香港の最近の動向に重大な懸念」を表明する共同声明を発表し、ウイグルとチベットでの人権の尊重と調査を要求し、香港での事態について国際人権規約など国際法に合致しないとして即時是正を求めました。この声明には、最近まで中国と良好な関係をもっていたEU加盟国のほとんどが加わりました。

　南シナ海での中国の覇権主義的行動の強まりに対して、ASEANのなかで「国際法の順守」が太い共通要求として出され、11月の東アジア首脳会議（EAS）では、「国際法に合致したCOC（南シナ海行動規範）」制定が中国も含めた合意点となりました。

　こうした動きを強めていくことこそ重要であります。

　この点で、日本共産党が果たすべき国際的役割はきわめて大きいものがあります。わが党は、この間、事実と道理にたって中国の誤りへの批判を行ってきましたが、こうした批判こそが覇権主義にとって一番手痛いことは、この間の経過が証明しています。

　日本共産党は、旧ソ連であれ、中国であれ、どんな大国の覇権主義に対しても堂々とたたかいぬいてきた自主独立の歴史をもつ党として、世界の平和と進歩のための責任を果たしていく決意であります。

日本政府は、覇権主義・人権侵害は許さないという姿勢の確立を

　関連して、中国に対する日本政府の対応の問題点についても、のべないわけにいきません。安倍・菅政権は、中国の「脅威」を「戦争する国」づくりに利用するが、その覇権主義・人権侵害を、正面から理をつくして批判することを回避する姿勢を取り続けてきました。これは最悪の対応といわなければなりません。

　11月の日中外相会談で、中国の王毅《おうき》外相は、共同記者会見の場で、尖閣諸島周辺の中国公船の実力行使を日本漁船の責任であるかのように、事態をアベコベに描く傲岸不遜《ごうがんふそん》な発言を行いました。その場でこの暴論に批判も反論もしなかった日本側の対応は、きわめてだらしがない態度というほかありません。

　日本政府は、相手がどんな国であれ、覇権主義・人権侵害は許さないという姿勢を確立することが必要であります。それこそが、日中関係においても、大局的に見れば、日中両国、両国民の本当の友好関係を開く道であることを、私は、強調したいと思うのであります。

ジェンダー平等の明記——日本社会にとっての重要な意義

新型コロナ危機のもと、女性に多くの困難と負担が強いられる一

方、その打開をめざす運動も広がっています。そうしたなか改定綱領が、ジェンダー平等社会の実現を明記したことは、日本社会にとって重要な意義をもつものであります。

改定綱領が、大きな力、新鮮な力を発揮し、党内外で目を見張るようなダイナミックな変化が起きています。

ジェンダー平等を求める運動との共同がぐんと広がった

この1年、「多様な運動にWith Youの姿勢で参加し、ともに力をつくす」との立場で、ジェンダー平等を求める運動に、党が参加する流れが強まりました。運動に取り組む人々に党の「本気度」が伝わり、信頼、共同がぐんと広がりました。

国会論戦で、選択的夫婦別姓、女性差別撤廃条約の選択議定書、刑法改正、職場でのパンプス強制問題など、ジェンダーの課題が太い柱にすわりました。一連の課題で政府から前向きの答弁を引き出し、現実に社会を大きく動かしました。「声をあげれば変わる」という実感を多くの人々と共有できたことは、わが党にとっても大きな喜びであります。

全国各地で、フラワーデモに党のメンバーが参加したり、コロナ危機のもとでのDV・虐待被害者支援に力をつくしたり、パートナーシップ宣誓制度の導入をかちとったりなど、積極的な取り組みが広がっています。ともに真摯《しんし》に行動している姿が多くの方々から評価されていることも、うれしいことであります。

「学び、自己改革する努力を」の提起が、党に新鮮な活力を生みだしている

わが党自身が「学び、自己改革する努力を」の提起は、党に新たな風を吹き込み、新鮮な活力を生みだしています。

党の議員や候補者が、自らの経験、つらい思いと重ねて、入党の初心とジェンダー平等をめざす思いを語り、感動を広げています。語ることが、その人自身の生きいきとした力の発揮につながっている姿は、たいへんに胸を打ちます。

全国各地で改定綱領にもとづきジェンダー学習会が旺盛に取り組まれています。「ジェンダーってなんじゃQ&Aパンフ」を作成し、学習運動に取り組んでいる愛知県のジェンダー平等委員会の事務局長は、次のような報告を寄せてくれました。紹介します。

「ベテラン党員の間で自己改革への意欲が高まっています。『自分が生まれたころには、こういう差別は当たり前だったが、変わっていかなければならない』など、驚くほど率直に受け止め、前向きな感想が出されます。やはり綱領に書かれたことのインパクトは大きい。今までは女性差別の問題は『女性部がやること』という受け止めでしたが、このテーマで男性も女性も一緒に地域の支部での学習が始まっています」

わが党に大きな力を吹き込んでいるのではないでしょうか。

ジェンダー平等を掲げた党への若い世代からの注目、協力の広がりは大きな希望

ジェンダー平等を掲げた党への若い世代、若い層からの期待と注目は高いものがあります。若い世代が、この間、国際女性デーや男女共同参画基本計画へのパブリックコメント提出などに新鮮な感覚で立ち上がっています。こうした方々と、わが党や、これまで長年にわたり運動を続けてきた女性団体などとの協力、合流がさまざまな形で広がっていることは、大きな希望であります。

ジェンダー平等社会をめざして、多くの人々と心を開いて語り合い、その実現に取り組む新しい政権の樹立、この課題を綱領に掲げる日本共産党の躍進を大いに訴

えようではありませんか。

改定綱領を縦横に活用し、私たちのめざす未来社会の魅力を大いに語ろう

改定綱領は、未来社会への道をより豊かに多面的に示すとともに、党綱領の未来社会論をより豊かに発展させるものとなりました。その到達点を学習し、わが党がめざす未来社会――社会主義・共産主義社会の魅力を縦横に語ることを訴えたいと思います。

さまざまな新たな問題を〝入り口〟にして、未来社会への道をより多面的に示した

「改定綱領学習講座」でお話ししたように、改定綱領は、ジェンダー平等、貧富の格差、気候変動など、さまざまな新たな問題を〝入り口〟にして、未来社会への道をより豊かに多面的に示すものとなりました。

これらの問題の解決に向けて、まずは資本主義の枠内で最大の取り組みを行いつつ、その根本的解決の展望は社会主義にこそあることを、大いに語ろうではありませんか。

改定綱領によって、未来社会のイメージが、よりつかみやすく語りやすくなった

さらに、今回の綱領一部改定は、党綱領の未来社会論をより豊かに発展させるものとなりました。

２００４年の綱領改定では、「生産手段の社会化」を社会主義的変革の中心にすえるとともに、労働時間の抜本的短縮によって「社会のすべての構成員の人間的発達」を保障する社会という、マルクス本来の未来社会論を生きいきとよみがえらせました。

今回の綱領一部改定は、これを未来社会論の核心に引き続きすえるとともに、綱領の未来社会論にもう一つの「核」をつけくわえるものとなりました。

すなわち、今回の綱領一部改定は、資本主義の高度な発展がつくりだし、未来社会に継承すべき「五つの要素」として、「高度な生産力」「経済を社会的に規制・管理するしくみ」「国民の生活と権利を守るルール」「自由と民主主義の諸制度」「人間の豊かな個性」を明示し、発達した資本主義国において社会主義的変革に踏み出した場合には、それらの成熟した諸要素のすべてを生かし、発展的に継承して新しい社会をつくるという展望を明らかにしました。

そして、「発達した資本主義国における社会変革は、社会主義・共産主義への大道」という命題を太く打ち出しました。

この改定によって、わが党がめざす未来社会のイメージ、その豊かで壮大な可能性が、より具体的でつかみやすくなり、より語りやすくなったのではないでしょうか。

人類はこれまで、本当の社会主義を経験したことは、一度もありません。わが党が挑戦しているのは、人類未踏の道の開拓であります。

改定綱領を全党員が読了し、繰り返し学習し、縦横に活用して、私たちのめざす未来社会――社会主義・共産主義社会の魅力を大いに語ることを、心から訴えるものであります。

五、「1千万対話」と党勢拡大をやりぬく「総選挙躍進特別期間」を呼びかける

次に、総選挙躍進にむけた党活動について提案します。

党大会後の党づくりの到達――地区委員長アンケートを受けて

党大会後の党づくりの到達点について

党大会以降、わが党は、強く大きな党づくりに力を集中し、重要な成果をあげてきました。

党員拡大は、全国的な党員現勢では残念ながら大会比で3483人の後退となっていますが、4444人の新たな党員を迎え、「支部が主役」に徹した新しい質の党員拡大の努力が広がっています。目的意識的に若い世代に働きかけ、党に迎える取り組みが、全国各地で始まっています。この間、新たに党の一員となった全国のすべての同志のみなさんに、第2回中央委員会総会として、心からの歓迎のあいさつを送ります。

「しんぶん赤旗」の読者拡大は、大会後、日刊紙755人減、日曜版138人増、電子版983人増となり、紙と電子版をあわせた日刊紙読者、日曜版読者で党大会現勢を維持しています。大会後11カ月をへて、読者で大会現勢を維持していることは、この間にないきわめて重要な成果であり、全党の奮闘のたまものであります。それは「わが党は、危機を打開する主体的な力をもっている」（党大会第二決議）ことを示すものであります。

新型コロナ危機のもと大奮闘されてきた全党のみなさんに、幹部会を代表して、心からの敬意と感謝を申し上げるものであります。

地区委員長アンケート――党建設への確信とともに悩みも

2中総にむけて、全国の都道府県委員長と300を超える地区委員長のみなさんに、党大会後の党づくりの取り組みで、①確信にしていること②今後の課題と考えていること――についての意見をアンケートで寄せていただきました。

党勢拡大で前進をかちとっている党組織も、まだ前進にいたっていない党組織も、党大会後の党建設の取り組みと到達について、大きな確信をもっていること、同時に、世代的継承や地区機関の活動について多くの悩みも寄せられていること――これが全体を読んでの強い印象であります。

共通して語られているいくつかの確信について

共通して語られているいくつかの確信についてのべますと、まず、国民の変化と日本共産党の役割が響き合っていることへの確信が語られています。「日本共産党を除く」の壁の崩壊にくわえて、新型コロナ危機のもとでの国民の意識の前向きの変化がのべられています。新型コロナというかつてない危機に遭遇しながら、国民の

苦難軽減のために献身的に奮闘する党への信頼の強まりが報告されています。民青同盟が中心になって行っている学生への食料支援活動を援助する取り組みなどの体験をつうじて、世代的継承の手ごたえをつかみつつあることも、全国各地から共通して報告されていることであります。

二つ目に、改定綱領が党活動全体に大きな活力を与えていることが報告されています。中国に対する綱領上の規定の見直し、核兵器禁止条約、ジェンダー平等、格差拡大と環境問題、発達した資本主義国での社会変革論など、改定綱領の重要なポイントが強い共感をもって受け止められ、党活動の新たな活力につながっています。学習に思い切って力を注ぎ、党建設の前進をかちとっている経験が、全国各地で広がりつつあります。改定綱領にジェンダー平等が明記されたことを契機にして、党機関の女性役員の比重を高める努力が進み、機関活動に新鮮な活力が生まれていることも重要でありま す。

三つ目に、党大会第二決議への確信と、「支部が主役」の党づくりの「大道」に徹することへの確信が語られています。党員拡大を党建設の根幹と位置づけ、「入党の働きかけ自体を重視し、党機関も支部も、何人に入党を働きかけるかの目標をもって追求する」、「入党した後も、『楽しく元気の出る支部会議』や新入党員教育をしっかり行う」という、「支部が主役」の党員拡大に取り組み、党員拡大運動の質を変える努力をはかってきたことが、党活動全体の前進の推進力になっていることが報告されています。

四つ目に、大会後の党建設の取り組みでは、党中央自身が自らの取り組みのなかにあった「惰性」に対して自己反省のメスを入れ、全国の党組織のみなさんと一体になってその打開のための努力をはかってきました。それが正面から受け止められ、党員拡大で「現勢で毎月、前進する」、読者拡大で「どんな条件下でも毎月、前進する」という構えに立った奮闘が全党に広がり、定着しつつあることが報告されていることは、うれしいことであります。

世代的継承、機関活動など打開すべき課題も

次に、打開すべき課題としては、高齢化が進むもとで、「しんぶん赤旗」の読者の配達・集金体制がとれなくなった、党機関の役員や地方議員のなり手がいないなどの困難が、1年前と比べても深刻になっており、一刻の猶予も許されない事態となっていることが、集中して報告されています。

同時に、大会後の取り組みを通じて、とりわけ「支部が主役」の党員拡大の取り組みを通じて、現状を打開する手がかりをつかみつつあるということものべられています。党大会第二決議を指針として、世代的継承の課題に、引き続き党の総力を傾けて取り組み、探究・開拓・前進をかちとりたいと思います。

もう一点、党建設の取り組みの飛躍のためには、すべての支部と党員が立ち上がることが不可欠ですが、そのために地区委員会の指導力をどう高めるかについて、悩みとともに、機関活動の改善と強化に取り組み、前向きに打開しつつある経験が語られています。

来年1月に「地区委員会の活動強化・オンライン経験交流会」を開催する

いくつかの角度から報告しましたが、地区委員長のみなさんから寄せていただいたアンケートは、今後の党活動を発展させるうえで、すぐれた教訓とともに悩みもぎっしりとつまったものになっています。アンケートを踏まえ、中央として、困難に直面しつつ、それを打開し、前進の手がかりをつかんでいる全国の生きた経験に学び、交流するために、来年1月に「地区委員会の活動強化・オンラ

イン経験交流会」を開催することにしたいと考えます。

「総選挙躍進、1千万対話・党勢拡大特別期間」（総選挙躍進特別期間）の呼びかけ

「総選挙躍進特別期間」の課題と目標

党大会後の党づくりの教訓を確信に、それを総選挙が切迫した状況のもとでさらに発展させつつ、比例代表で「850万票、15％以上」という目標の実現に向けた確かな土台を築くために、第2回中央委員会総会として、今日から4月末までの時期に、次の四つの課題で、「総選挙躍進、1千万対話・党勢拡大特別期間」（総選挙躍進特別期間）に取り組むことを、全党に呼びかけることを、提案するものです。

1、宣伝・対話・支持拡大に取り組み、「1千万対話」をやりぬく。

2、すべての支部が対応する後援会をつくり、500万人の後援会員をつくる。

3、党員拡大を根幹にすえ、党員現勢で毎月前進し、党大会時の現勢を回復・突破する（3500人増）。すべての支部で新しい党員を迎える。

4、読者拡大では、毎月前進をかちとり、前回総選挙時を回復・突破する（日刊紙で現勢の110％、日曜版で112％）。

すべての課題において、世代的継承の目標と計画をもち、自覚的に推進する。

以上が、「総選挙躍進特別期間」の課題と目標の提案であります。

その眼目は、日本共産党に対する積極的支持者を大きく増やすことと、党創立100周年までに「3割増」の党をつくることをめざして党員拡大を根幹とした党勢拡大運動をさらに発展させることを、一体的・相乗的に取り組むことにあります。

「総選挙躍進特別期間」の推進にあたっては、新型コロナから国民と党員の命と健康を守るために、万全の感染対策を行うようにしたいと思います。

「特別期間」の意義①——2017年総選挙の総括と教訓に立ち返って

なぜ今、「総選挙躍進特別期間」か。

何よりも「共闘の時代」の選挙に勝つうえで、今、この取り組みが必要不可欠であります。市民と野党の共闘を成功させながら、いかにして日本共産党の躍進をかちとるか。これはわが党にとっての大きな課題ですが、来たるべき総選挙は、本格的な共闘でたたかう初めての総選挙であり、共闘成功と党躍進をいかにして両立させるかが本格的に問われる初めての総選挙になります。それをやりぬくうえで、私は、二つの点を強調したいと思います。

第一は、前回総選挙——2017年総選挙の総括と教訓に立ち返るということであります。前回の総選挙は、突然起こった共闘破壊の逆流から共闘を守ることでは重要な成果をおさめましたが、党の比例得票を606万票（11・37％）から440万票（7・90％）に後退させるという悔しい結果となりました。この選挙戦の総括を行った2017年12月の第27回党大会3中総決定では、この結果から二つの教訓を導き出しました。

一つは、日本共産党の綱領、理念、歴史を丸ごと理解してもらい、積極的支持者を増やす日常的な活動を抜本的に強めることであります。「他に入れるところがないから、今回は共産党」という方

に、「共産党だから支持する」という積極的支持者になっていただく努力が、十分行われたとはいえず、中央のイニシアチブも弱かったことを、私たちは3中総での反省点としました。

いま一つは、党の自力をつけることであります。どんな複雑な情勢のもとでも、共闘の勝利と日本共産党の躍進を同時に実現するには、いまの党勢はあまりに小さい。このことを、私たちは、総選挙をたたかっての最大の反省点として銘記しました。

こうした前回総選挙の教訓を踏まえるならば、今から4月末までの時期に、党躍進の土台となる積極的支持者を増やすこと、党員拡大を根幹とした党勢拡大をさらに発展させること――これらがどうしても必要になります。「総選挙躍進特別期間」を呼びかけた第一の理由はここにあることを、私は訴えたいと思うのであります。

「特別期間」の意義②――総選挙を政権奪取の歴史的選挙にしていく最大の力

第二に、来たるべき総選挙の歴史的意義にてらしても、今、この運動に取り組むことが必要不可欠であります。

来たるべき総選挙は、わが党の歴史でも初めて、政権交代を実現し、野党連合政権――菅自公政権に代わる新しい政権をつくることに挑戦する、文字通りの歴史的選挙であります。前政権を上回る強権ぶり、冷酷さをあらわにしている菅政権を、選挙のあとも続けさせるわけにはいかないではありませんか。「オール野党」の共闘によって、この政権を倒し、新しい政権をつくることは、野党に課せられた重要な責任であります。

重要なことは、来たるべき総選挙をそのような政権奪取の歴史的選挙にすることができるかどうかは、私たちの今の奮闘にかかっているということです。とくに「比例を軸に」した日本共産党躍進の流れ、躍進の政治的・組織的な勢いを今つくりだすことが、来たるべき総選挙を政権奪取の選挙にしていく最大の力になります。

今、わが党が、大いに宣伝に打って出るとともに、積極的支持者を増やし、党勢拡大でも高揚の流れをつくりだし、日本共産党の勢いが他党にもビンビンと伝わるような奮闘をすることが、政権交代を実現し、新しい政権をつくる、決定的な推進力になります。「総選挙躍進特別期間」を呼びかけた第二の理由はここにあるということを、強調したいと思うのであります。

総選挙勝利に向けて、こうした「特別期間」を設定して取り組むのは、党の歴史のうえでも初めてのことですが、以上の諸点にてらして、選挙勝利のためにはこの取り組みが絶対に必要不可欠ではないでしょうか。

全党のみなさんが、その意義を深くつかんで、「総選挙躍進特別期間」に立ち上がることを、心から呼びかけるものであります。

「総選挙躍進特別期間」を成功させるために――ここをつかんで奮闘しよう

「総選挙躍進特別期間」をどうやって成功させるか。かつてやったことのない取り組みであり、中央と全国が一体となって探究・開拓・実践していきたいと思いますが、いくつかの大切だと考える点について報告します。

すべての支部が「政策と計画」をもち、自覚的取り組みに立ち上がろう

まず訴えたいのは、すべての支

部・グループが、支部会議、グループ会議を開き、「政策と計画」をもち、「850万票、15%以上」に見合う得票目標・支持拡大目標を決め、その実現のための活動を具体化することが、総選挙躍進にむけた活動の出発点となるということです。この運動も「支部が主役」に徹して取り組みたいと思います。

新型コロナから命と暮らしを守る取り組みを具体化し、とくにこの年末・年始から、党が行った「緊急要請」の立場で、国民の命を守り、苦難に応える活動に力をそそぎましょう。

それぞれが責任をおっている地域、職場、学園の要求実現のための活動と、得票目標をやりぬくための宣伝・組織活動、党の自力を高める党建設・党勢拡大の目標と計画を、支部のみんなで議論し、「私たちの支部は政権奪取選挙をこうたたかう」という方針を、「政策と計画」に補充・具体化しましょう。

宣伝・対話・支持拡大に取り組み、「1千万対話」をやりぬこう

「目に見え、声で聞こえ、読んでわかる」草の根の宣伝、「困った人にやさしい政治。」の党押し出しポスターの張り出しなど、全有権者を対象にした大量政治宣伝に取り組みながら、「1千万対話」をやりぬきましょう。

新型コロナ危機のもとで、多くの有権者が切実な願いをもち、社会と政治のあり方を真剣に考えています。相手の願いに耳を傾けながら、「日本共産党のここが好き」という自らの思いを語ることは、みんながができる活動です。「気軽に、何度でも」の精神で対話・支持拡大に取り組み、「政権交代をいっしょに実現しよう」「共産党を支持してほしい」「募金にぜひご協力を」と率直に訴えましょう。

「1千万対話」にむけて、携帯電話やSNSで結びついている人を含めたマイ名簿、結びつき名簿、支持者名簿、有権者台帳などあらゆる種類の名簿を、知恵を出し合って急いでそろえ、「全国は一つ」の立場で、足を踏み出しましょう。「声の全戸訪問」「折り入って作戦」など試されずみの手だてをすべてとりきりましょう。

「『支部が主役』の大道ですすめる世代的継承」オンライン経験交流会では、地域支部、職場支部が日常的に取り組む要求運動、署名運動、宣伝、「集い」などから若い世代との結びつきが生まれ、働きかけている豊かな経験が交流されました。若い世代に目的意識的に働きかけ、結びつきを広げ、支持を広げましょう。

演説会成功を節に、対話・支持拡大を進めましょう。「集い」を、総選挙勝利の推進軸と位置づけ、「気軽に、繰り返し、双方向で」、多彩に取り組み、四つの課題を立体的、相乗的に推進しましょう。

これらの取り組みでは感染対策に万全をつくすことを重ねて強調したいと思います。

すべての支部が対応する後援会をつくり、500万人の後援会員をつくろう

日本共産党後援会は、党と支持者が協力して選挙戦をたたかう基本組織です。三つの努力を強め、現在333万人の後援会を、500万人の後援会に前進させましょう。

1、すべての支部で、対応する単位後援会（現在53・2%）をつくり、結びつきを強化し、要求にこたえた楽しい取り組みも行い、後援会員を増やしましょう。

2、インターネット・SNS（ツイッター・LINE公式）を活用して後援会活動を発展させましょう。現在1万2千人となっている「JCPサポーター」への登録を、全党の結びつきも生かして広げましょう。

3、分野別後援会の確立・強化、発展をはかりましょう。コロ

ナ危機のもと、各分野の自覚的民主勢力の役割が輝き、運動と組織が発展しています。それぞれの運動団体との協力・共同を強めつつ、各団体に対応する後援会活動を強化し、目標をもって後援会員を増やしましょう。

「1千万対話」をやりぬくうえで、対話・支持拡大を飛躍させる活動と、担い手を広げる取り組みを同時に進めることが大切です。「特別期間」の中間点である2月末までに、１００万人の「しんぶん赤旗」読者、３３３万人の後援会員のすべてに声をかけ、「折り入って作戦」に取り組み、担い手を広げ、さらに対話・支持拡大を広げていく相乗的な活動に挑戦することを呼びかけます。

党員現勢で毎月前進し、党大会現勢を回復・突破し、すべての支部で新しい党員を

党員拡大を党活動の根幹にすえ、党員現勢で毎月前進し、党大会現勢を回復・突破し、すべての支部で新しい党員を迎えるために、力をつくしましょう。

新しい党員を迎えることは、支部にとっての一番の喜びです。支部に新たな活力を生みだし、選挙勝利のうえでも、党の将来を展望しても、最大の力となるものです。

大会後の取り組みで、党員拡大を根幹にすえ、「支部が主役」で広く働きかけ、入党した後もともに成長する、党員拡大の「大道」に取り組んできた党組織は、党員拡大の取り組みが、党活動のあらゆる活動の推進力となっています。この教訓を、握って離さず、「特別期間」の取り組みでも大きく発展させようではありませんか。

「1千万対話」と担い手づくりのなかで、入党を働きかける対象者は大きく広がります。対話・支持拡大と党員拡大を根幹とする党勢拡大を一体のものとして取り組みましょう。すべての党組織が党員で党大会現勢を回復・突破するとともに、すでに回復・突破している党組織はさらに高い峰に挑戦することを訴えます。

青年・学生党員と労働者党員、30代～50代の世代での党勢倍加をめざす取り組みを、つねに自覚し、具体化し、前進させましょう。民青同盟員の拡大を、党と民青の共同の事業として取り組み、党の県・地区は、対応する民青班を再建・強化しましょう。

読者拡大で毎月前進をかちとり、前回総選挙時の回復・突破をやりぬこう

「しんぶん赤旗」の読者拡大では、毎月前進をかちとり、前回総選挙時を回復・突破するという目標に正面から挑戦し、やりぬくことを訴えます。

率直に言いまして、わが党は、この30年以上にわたって、国政選挙で、読者数で前回選挙を上回って選挙をたたかったことはありません。１９９０年代後半に躍進をかちとった選挙、２０１３～14年に躍進をかちとった選挙も、読者数を減らしての選挙でした。しかし、そうした躍進は、長続きできなかったことも、私たちが体験してきたことであります。

その点で、来たるべき総選挙は、久方ぶりに、読者の前進のなかでたたかう選挙にできる条件が大いにあります。全党のみなさんの奮闘によって、大会後11カ月を経て、読者を基本的に維持しているからです。「桜を見る会」、学術会議問題でのスクープなど「しんぶん赤旗」に対する社会的注目もかつてないものがあります。党本部への購読申し込みは、昨年が１１９３人だったのに対し、今年は12月14日現在で１９７０人と、2倍近くになりつつあります。

党大会後、全党の奮闘でつくりだしてきた前進への流れを絶対に中断することなく、毎月前進をかちとり、前回総選挙時を回復・突破し、総選挙を読者拡大の高揚のなかでたたかおうではありませんか。

東京都議会議員選挙、中間選挙での勝利・躍進をかちとろう

来年6月に行われる東京都議会議員選挙は、都政の前途を左右する意義をもつとともに、国政の動向にも大きな影響を与えます。前回、躍進した党都議団は、自民党と一体の小池都政のもとで、都民の運動と結んで、暮らしと福祉を守り、都政を動かすかけがえのない役割を発揮しています。わが党は、現有議席を絶対確保し、新たな議席増に挑戦します。さきの都知事選・都議補欠選挙でつくりだした市民と野党の共闘を発展させ、総選挙での共闘と相乗的な発展をめざします。全国の力を集中して、必ず勝利・躍進をかちとろうではありませんか。

２０２１年は、7月末までに東京都議選、北九州市と静岡市の政令市議選、前橋市、大分市、松江市、富山市、那覇市、奈良市の市議選など、87市１０５町村の中間選挙が行われます。党大会後の中間選挙で、わが党は20議席後退し、得票は前回比87%、参院比例票比１１０%となっています。中間選挙で議席と得票の前進の流れをつくることは、総選挙勝利にとって不可欠であることを肝に銘じて、全員勝利のために奮闘しようではありませんか。

日本にとっても、党にとっても命運がかかった重要な時期――「特別期間」の成功を

報告の最後に、全党のみなさんに訴えます。

今日から4月末までの時期は、日本にとっても、わが党にとっても、その命運がかかったきわめて重要な時期となります。

全党の力を一つに集めて、「総選挙躍進特別期間」の成功を必ずかちとり、政権交代と野党連合政権の実現、日本共産党躍進の扉をこじあけようではありませんか。

以上で、幹部会を代表しての報告を終わります。

（「しんぶん赤旗」２０２０年12月17日付）

志位委員長の結語

2020年12月15日

充実した決意あふれる討論によって、幹部会報告が深められた

みなさん、お疲れさまでした。幹部会を代表して、討論の結語を行います。

討論では35人の同志が発言しました。今回の中央委員会総会は、新型コロナ危機のもと、初めてのオンラインを使っての総会でしたが、距離を感じさせない、温かい一体感に包まれた総会になったと思います。

討論では、幹部会報告がきわめて積極的に受け止められ、深められました。たいへんに充実した、中身の濃い討論であり、決意にあふれた討論だったと思います。

全国で報告を視聴したのは、党内通信の視聴で８４５１人、党のホームページ・ユーチューブの生中継の視聴で1万４７２５人、リアルタイムでの視聴の合計は2万３１７６人になりました。

４４６通の感想文が寄せられています。全国からの感想でも、幹部会報告の提起に強い歓迎の声が寄せられています。「総選挙躍進特別期間」の呼びかけに対しても、総選挙に勝つためには絶対にこうした取り組みが必要だ、当然の方向が提起されたと、たいへん自然に、そして積極的に受け止めていただき、多くの決意が語られていることも、おおいに心強いことであります。

新型コロナから命と暮らしを守り抜く――「緊急要請」の方向で全力を

まず、新型コロナ危機から、国民の命と暮らしを守る緊急の取り組みについてのべておきたいと思います。

討論でも、感染状況の深刻な地域から、コロナから住民の命を守る取り組みに、党機関として、また地方議員団として、懸命に取り組んでいる経験が、強い切迫感をもって語られました。

現状はたいへんに深刻であります。とりわけ、菅政権による無為無策と逆行は、いよいよ深刻になっています。

　昨日（14日）、菅首相は、「Ｇｏ Ｔｏ」事業について、国民のごうごうたる批判に押されて、「全国一時停止」ということを言い出したわけですが、それを実施するのは2週間後の12月28日からだという。「なぜ2週間後なのか」という大きな批判が起こっています。菅首相は「落ち着いた正月」にするためにこういう決定をしたと言うのですが、「落ち着いた正月」と言うのだったら今が大事なわけです。いま感染がどんどん拡大したら、2週間後にその影響が出てくるわけで、医療体制が薄くなる年末・年始が大変なことになるわけです。私は、いますぐ「Ｇｏ Ｔｏ」の中止を決断し、それを実行することが必要だということを強く言いたいと思います。

　12月11日に、日本共産党が行った政府への「緊急要請」では、医療機関への減収補塡《ほてん》、全額国庫負担でのＰＣＲ検査の抜本的充実、持続化給付金の第2弾など直接支援の継続・充実、生活困窮者に対する支援の強化、そして「Ｇｏ Ｔｏ」事業の中止と切り替えを――この緊急の5項目を提起しました。

　この「緊急要請」の方向で、年末・年始から国民の命と暮らしを守り抜く取り組みに全党が全力をあげることを、強く呼びかけたいと思います。国民の苦難軽減のために献身する党の存在意義を発揮して奮闘することを心から訴えます。

「様子見」を一掃し、情勢を主導的に切り開く

　この総会の主題は、幹部会報告の冒頭でのべたように、今日から4月末までの時期、総選挙勝利にとってきわめて重要になるこの時期に、「わき目もふらず比例での党躍進のための活動に力を集中する」、ここにあります。この総会の主題が、討論でも、さまざまな角度から深められました。

　ある同志は、次のように発言しました。

「いま党の内外で解散はいつになるのか、野党共闘はどうなるか、という様子見が根強くあります。報告はその答えを出しました。解散・総選挙の時期は来年4月以降が濃厚だという判断が示され、だとするならば、この期間に情勢を主導的に切り開こうという提起でした。野党共闘については、中央段階で最大限の努力をしているさなかだと報告がありました。共闘がどういう水準になるか。それは、宣伝と対話、党勢拡大によって、私たち自身が国民のなかで政党間の力関係をどこまで変えることができるかにかかっています。そのことが問われる4カ月です」

　幹部会報告は、党内外にある「様子見」を一掃する提起だという受け止めですが、ここがたいへんに重要な点であります。

　総選挙で私たちが掲げている第一の目標――次の総選挙で政権交代を実現し、野党連合政権を樹立する。この目標を実現するためには、わが党の決意を野党の共通の決意にする必要があります。幹部会報告では、「現在はそのための最大限の努力をしているさなかであります」ということをのべました。

　ここで強調しておきたいのは、共闘が前に進むうえでは、中央段階の合意が必要だということです。共通政策、政権協力、選挙協力――すべてについて中央段階の合意が必要です。そして合意というのは相手があることですから、「いついつまでにそれを実現する」ということを、わが党の意思だけ

では決めることはできないことは、言うまでもありません。ですから、地方の党組織のみなさんは、地方でも、政権協力の方向に共闘が前進するように、その機運を大いにつくっていただきたいと思いますが、共闘がどうなるかの「様子見」には絶対に陥ってはならないということを、強調したいと思います。

ここは、幹部会報告で訴えたように、「わき目もふらず比例での党躍進のための活動に力を集中する」――この姿勢でがんばりぬくことが大切であります。これは、情勢を主導的に切り開くという立場にほかなりません。「わき目もふらず比例での党躍進のための活動に力を集中する」という姿勢を揺るがず堅持し、日本共産党躍進のうねりを実際につくりだすことが、わが党自身にとっても、共闘の成功にとっても、何よりも大切になる。全党が、この姿勢を断固として確立して、情勢を主導的に切り開くという変革の立場に立って、奮闘しようではないかということを訴えたいと思います。

新型コロナ危機のもと、情勢の変化、国民意識の前向きの変化が起こっている

討論では、「総選挙躍進、１千万対話・党勢拡大特別期間」（総選挙躍進特別期間）について、これに正面から挑もうという強い決意にあふれた発言が続きました。

この「特別期間」で、私たちが挑戦する目標は４項目ですが、どれも大志ある目標です。宣伝と一体に「１千万対話」をやりぬく。５００万人の後援会員をつくる。党員で大会現勢を回復・突破する。読者で前回総選挙時を回復・突破する。そのすべてで世代的継承を自覚的に推進する。どれも大志ある目標です。これまでの活動の水準を量質ともに大きく引き上げなければできない目標です。

同時に、私は、今日の討論を通じて、この目標をやりぬく展望が見えたと思います。討論を踏まえて、二つの点を特に強調したいと思います。

第一は、情勢の変化です。新型コロナ危機のもとで、情勢の変化、とくに国民意識の前向きの変化が起こっていることが、討論ではたくさん語られました。

若い世代が、「新自由主義」の呪縛から抜け出し、大きく変化している

多くの同志が、民青同盟が中心になって取り組んでいる学生への食料支援活動について、生きいきと報告しました。この取り組みを通じて、「今の学生がいかに深刻な苦境にあるかがよくわかった」「これは本腰で支援活動が必要だ」ということが、党組織全体の認識になったという発言がありました。「これほど多くの学生と対話し、つながりがつくられたことはこの間なかった」と、手ごたえを語った発言もありました。

そして私が重要だと思ったのは、今若者が、新型コロナ危機を体験して、これまで新自由主義のもとで押し付けられてきた「自己責任論」の呪縛《じゅばく》から解放され、政治や社会のあり方を真剣に考えるようになってきている、大きな変化が起こってきていることが語られたことです。食料支援の取り組みを通じても、学生自身がそういう変化・成長をとげ、学生がボランティアで食料支援活動に参加し、この取り組みを通じて民青同盟に入り、党に入る、そういう経験も報告されました。

新型コロナ危機は、これまで「自己責任論」に縛られてきた若い世代のなかに、つらい体験を通じて、政治や社会に対する真剣な模索・探求をつくりだしている。それに本当に応えた活動をわが党がやるならば、大きな変化をつく

ることができる。このことが討論でも証明されたのではないでしょうか。

これまで党と接点がなかった人々が、自らの力で党を発見し、出会いが起こっている

それから討論のなかで、もう一つ、たいへん印象的だったのが、これまで党と接点がなかった多くの人々と、わが党がさまざまな形で出会い、「しんぶん赤旗」の読者になったり、入党したりという動きが、起こっているということです。

ある同志は、「これまで党がつながることができにくかった世代や層が、自らの意思で党と『赤旗』に近づいてきている」として、次のように語りました。

「20歳の方から『しんぶん赤旗』の申し込みがありました。その理由は、『日本の政治が腐敗しているなかで、日本共産党は民主主義の最後の光のようだから。「赤旗」のジャーナリズムとしての姿を知り、私も読みたくなりました』と。街頭演説をしていたら、高校3年生が『自分も話をさせてほしい』と駆け寄ってきて、『就職活動をやったがコロナで難しかった。自民党の政治のままではだめ。日本共産党にがんばってほしい』とマイクを握って訴えをしてくれた。まさにいま潮目が変わってきたと感じています」

ある同志は、30代の姉妹がそろって入党した経験を、次のように報告しました。

「11月に、ある地区委員会で、30代の教員が入党しました。市議団に『入党したい』とメールが来て、さっそく連絡を取り、事務所に来てもらって記念講演ダイジェストDVDを見てもらいました。視聴した後に、『一番信頼できるのは共産党、党に入って勉強したい』と入党しました。そうしましたら今月に入って、同居している妹さんも、この方も30代なのですが、毎日配られるお姉さんの『赤旗』を読むようになって、『党に関心がある』と連絡があり、また連絡を取ってダイジェストDVDを見てもらったところ、『共産党は科学的なんですね』『ロシアや中国と違うことがわかりました』と共感してくれて入党申込書を持ち帰り、1週間後、メールで『入らせてもらいます』と返事がきました。こういう経験は、他の地区にも少なからず生まれています」

こういう変化が、次々に報告されました。これまで党とつながりがなかった、あるいはつながりが薄かった人々が、自らの力で日本共産党を発見して、さまざまな形で出会いが起こっている。こういう変化が起こっているわけですから、私たちとしては、これを待っているのではなくて、どんどん足を踏み出して、新たな出会いを自らつくり、そういう方々に党を語り、支持者になってもらい、後援会に入ってもらい、読者になってもらい、そして入党してもらう。そういう活動を大いにやっていく必要があるし、その大きな条件があるということが、総会の討論を通じても明らかになったのではないでしょうか。

ちなみに、幹部会報告では、党本部に「しんぶん赤旗」の購読申し込みをされた方が、今年は2000人近くになり、昨年の倍だということを報告しましたが、本部に購読を申し込んできた方から、相当数の入党者が生まれているということもご報告しておきたいと思います。

情勢が変化し、国民の意識が前向きに変化している。1千万対話をやりぬき、党勢拡大で飛躍をつくり、総選挙で躍進をかちとる条件は大いにあることが、討論を通じて、生きいきと確認されたのではないでしょうか。

国民の変化と「新しい日本をつくる五つの提案」、改定綱領が、響きあっている

そして、討論では、こういう国民の中で起こっている変化と、幹部会報告で提起した「新しい日本をつくる五つの提案」、さらには改定綱領の内容が響きあい、かみ合っていることが、こもごものべられました。

「五つの提案」――新しい政権が実行する政治的内容になるように力をつくす

「新しい日本をつくる五つの提案」というのは、総選挙にむけた単なる政策提起ではありません。自公政権に代わる新しい政権――野党連合政権が実行する政治的内容になるように力をつくす、という立場にたって、まとめあげたものです。そのどの項目も、国民多数の声にそっており、それを実行する新しい政権ができればすべて実行可能なものばかりです。さらに言えば、「五つの提案」の20の項目は、どれをとっても、政権交代がその実現のための一番の早道になるということも強調したいと思います。

たとえば辺野古新基地建設をどうやって止めるか。もちろん菅政権に対しても、私たちは基地建設を止めなさいと求め続けます。しかしこれを一番早く解決する道というのは、政権交代です。選択的夫婦別姓をどうやって実現するか。菅政権に対しても、私たちは実現を求めています。しかし自民党内でゴタゴタして、前に進まない。これも、政権交代が実現したら、実現に道がひらけます。どの項目をとっても、政権交代こそが、その実現のための一番の早道であるということを強調したいと思います。

改定綱領――社会主義・共産主義の展望を大いに語ろう

討論では、改定綱領が生命力を発揮している、改定綱領が国民の変化や探究にかみあっているということについても、多くの同志が語りました。

結語で、一点だけ、重ねて強調したいのは、未来社会――社会主義・共産主義の展望を大いに語ろうということであります。

幹部会報告でのべたように、改定綱領は、「未来社会への道をより豊かに多面的に示す」（党綱領第３章にかかわる改定）とともに、「党綱領の未来社会論をより豊かに発展させる」（党綱領第５章にかかわる改定）――この両面で、社会主義への展望をより語りやすくするものとなりました。

「未来社会への道をより豊かに多面的に示す」という点では、ジェンダー平等、格差拡大、環境破壊など、いま世界でも日本でも問われている、さまざまな新たな問題を〝入り口〟にして、社会主義の展望を大いに語っていきたいと思います。これらの問題に対して、私たちは、まずは、資本主義の枠内で解決のための最大限の取り組みをやります。ただ同時に、根本的解決の道は、社会主義にある。この展望を、難しくせず、縦横に語っていく。その努力をやっていきたいと思います。

幹部会報告でものべたように、もともと社会主義の原点というのは、資本主義批判にあるわけです。日本で、若者が、労働苦、格差拡大、高学費などによって苦しんでいる。その原因は何かと言ったら、もちろん異常な財界中心の政治――「ルールなき資本主義」という問題があります。同時に、根底には、人間が人間を搾取し、「利潤第一主義」を本性とする資本主義の矛盾があります。この二重の矛盾のもとにあるわけです。

そういうなかで、私たちはまずは資本主義の枠内で解決のための最大限の取り組みを行う――「ルールある経済社会」をつくることに力を注ぎつつ、同時に、新型コロナ危機のもとで、資本主義の矛盾がむき出しの形で、これだけ噴き出しているわけですから、それをズバリ批判し、根本的解決の展望は社会主義にあるということを大いに語っていく。この点では、アメリカでの「社会主義」を求める新しい動きが、一つの示唆を与えているのではないかということは、幹部会報告でものべたことであります。

そうした問題も含めて、改定綱領を大いに活用していただきたい。

「新しい日本をつくる五つの提案」、そして改定綱領を、大いに語り、日本共産党躍進の大きなうねりをつくっていく取り組みに、挑戦しようではありませんか。

党大会後11カ月間、全党の奮闘でつかんだ自信・確信・教訓を、すべて生かそう

「総選挙躍進特別期間」をやりぬく展望として、第二に強調したいのは、党大会後の11カ月の全党の奮闘によって、党建設のたしかな前進、あるいは前進の足掛かりを築いてきた、そのことへの自信と確信が、討論で共通して語られたことであります。

党員拡大では、全党的には、現勢での前進にはまだいたっていませんが、「支部が主役」で広く働きかける党員拡大の「大道」――法則的な党員拡大の活動への確信について、多くの同志が発言しました。この道を進めば、党員拡大でも必ず前進をかちとることができるという手ごたえを、全党のみなさんがつかみつつある。このことが討論にも生きいきと反映されたと思います。

読者拡大については、このコロナ危機のもとで、党大会後11カ月、現勢を維持している。これは、私はすごいことだと思います。ここには、わが党ならではの不屈性があらわれていると思いますが、やはりそこには法則性もあって、ここでも「支部が主役」の読者拡大――読者拡大に取り組む支部を、5割、6割へと増やしていこう。こういう法則的な取り組みの努力の結果としてつくられた到達点であります。

それから世代的継承の問題です。私は、総会での発言を聞きまして、中央委員会総会で、世代的継承について、多くの同志たちが、本当に緊急で切実な問題として、しかも新たな前進への手掛かりをつかみながら、この問題に情熱的に取り組んでいる経験が、これだけ語られた総会というのは、この間にはなかったと思います。これは党大会第二決議で、世代的継承の問題について、あれだけ現状を掘り下げて明らかにし、そして打開の方策を示し、全党の共通の決意にした。その力がこの総会にも反映したと思います。

党大会後の、11カ月の奮闘の到達点に、自信と確信をもって進もうということを、私は討論の結語として言いたいと思います。

今度の「総選挙躍進特別期間」は、大会後、11カ月の全党の奮闘があったからこそ、その提起ができたものです。この11カ月の豊かな教訓と確信を、「特別期間」の取り組みにすべて生かして、必ずみんなの力で成功をかちとろうではありませんか。

いくつかの提案・意見について

　いくつかの提案・意見が、発言や文書で寄せられています。

　「新しい日本をつくる五つの提案」への補強提案がいくつか寄せられました。内容的には、どれもがもっともなものです。ただ、「五つの提案」というのは、これは党としての提案ですが、それを最大限、野党の共通の政策になるように努力をしていく、新しい政権が取り組む内容になるように努力していく、そういう政治的な方向性を、パッケージで出したものです。あくまでも政治的な方向性を太くのべたものなのです。いわば〝綱領的なまとめ方〟をしているものなのです。そこに政策の細目をどんどん入れるのは無理があります。ですから、出された意見は、党としての政策の詳細を、別途発表するときなどに生かしていくようにしたい、ということでご了解願いたいと思います。

　それから、「綱領全体を学ぶうえでの学習教材がほしい」との提起がありました。もっともな提起であり、中央の責任で、そうした学習教材を提供できるようにすることをお約束したいと思います。

　その他にも、いくつかの意見が寄せられています。その他の個々の意見については、個別に回答をさせていただくということで、ご了解をいただければと思います。

「走りながら徹底・具体化する」――12月からどんどん実践に踏み出そう

　最後に、この後、決定されるであろう第2回中央委員会総会決定の全党への徹底について、一言のべます。

　２中総決定は、党大会後の理論と実践を総括し、総選挙勝利に向けた基本方針を提起した、たいへんに重要な決定になると思います。

　２中総決定の徹底は、一言で言って、「走りながら徹底・具体化する」、この精神でやりたいと思います。

　幹部会報告で提起した方針は、11カ月の党大会後の取り組みの成果と教訓を踏まえて、総選挙が切迫するもとで、それを発展させたものです。これまでの取り組みの、自然で必然的な発展として出されているものです。これまでの方針の転換をするとか、切り替えをやるとか、そういうものではありません。これまで取り組んできたことを、さらにギアチェンジをして、いよいよトップギアに入れて、発展させようということですから、「走りながら徹底・具体化する」という精神で、取り組みたいと思います。

　指導的同志は、1週間以内――12月24日までに読了するということを提起したいと思います。そして、幹部会報告自体は、1時間38分のものですから、一気に見ることができると思いますので、ぜひ支部で、できるだけ早く、視聴・読了・具体化に取り組み、同時並行で、12月からどんどん実践に踏み出すことを訴えます。

　この２中総が、来たるべき総選挙での野党連合政権――新しい政権の樹立と日本共産党の躍進に道を開いた歴史的総会として、党史に残るようにお互いにがんばりたい。この決意を固めあいまして結語といたします。

（「しんぶん赤旗」２０２０年12月17日付）

第2回中央委員会総会について

2020年12月15日　日本共産党中央委員会書記局

一、日本共産党第2回中央委員会総会は12月15日、党本部と43道府県の会場をオンラインで結んで開かれ、中央委員176人、准中央委員28人が参加した。

一、総会では志位和夫幹部会委員長が幹部会報告を行った。報告は、来年4月末までに比例代表で党躍進の確かな土台を築くという総会の主題を提起し、新型コロナ対応、菅政権の特徴と「新しい日本をつくる五つの提案」、第28回党大会後1年間で発揮された改定綱領の生命力を明らかにするとともに、「1千万対話」と党勢拡大をやりぬく「総選挙躍進特別期間」を呼びかけた。

一、総会では35人が討論し、報告の内容を深め、具体化・実践する決意を表明した。

一、志位和夫委員長が、幹部会を代表して討論の結語を行った。

一、総会は、報告・結語を全員一致で採択した。

一、総会は、幹部会の提案にもとづいて、本人から申し出のあった佐藤文明中央委員の解任を行った。

一、総会は、「総選挙躍進特別期間」の成功をめざして奮闘することを誓い合って閉会した。

（「しんぶん赤旗」2020年12月16日付）